De trein naar Triëst